밀짚모자 일당

쵸파에몬 【 닌자 】
토니토니 쵸파

'새의 왕국'에서 '강한 약' 연구에 몰두하다. 재합류에 성공.

[선의 현상금 100베리]

루피타로 【 낭인 】
몽키·D·루피

해적왕을 꿈꾸는 청년. 2년의 수련을 거치고, 동료와 합류. 신세계로 향한다.

[선장 현상금 15억베리]

오로비 【 게이샤 】
니코 로빈

혁명군 리더이자 루피의 아버지 드래곤이 있는 바르티고를 거쳐, 합류.

[고고학자 현상금 1억 3000만베리]

조로주로 【 낭인 】
롤로노아 조로

어두우르가나 섬에서 자존심을 버리고 미호크에게 검의 가르침을 간청. 이후 합류에 성공.

[전투원 현상금 3억 2000만베리]

프라노스케 【 목수 】
프랑키

'미래국 벌지모어'에서 자신의 몸을 더욱 개조 '아머드 프랑키'가 되어 합류.

[조선공 현상금 9400만베리]

오나미 【 여닌자 】
나미

기후를 분석하는 나라, 작은 하늘섬 '웨더리아'에서 신세계의 기후를 배워 합류.

[항해사 현상금 6600만베리]

본키치 【 유령 】
브룩

수장족에게 잡혀 구경거리가 되었으나, 대스타 '소울킹 브룩'으로 출세해 합류.

[음악가 현상금 8300만베리]

우소하치 【 두꺼비 기름 장수 】
우솝

보인 열도에서, '저격의 제왕'이 되기 위해 헤라크레센의 가르침을 받고 합류.

[저격수 현상금 2억베리]

바다의 협객 징베 【 전(前) 왕의 부하 칠무해 】

인의를 관철하는 사나이. 빅 맘과의 격전 당시 루피를 도주시키기 위해 최후미를 맡았고, 습격 전에 합류.

[조타수 현상금 4억 3800만 베리]

상고로 【 소바장수 】
상디

'뉴하프 왕국'에서 뉴커머 권법의 고수들과 대전 한층 더 성장하여 합류.

[요리사 현상금 3억 3000만 베리]

Shanks
샹크스

'사황 중 한 사람. '위대한 항로' 후반 '신세계'에서 루피를 기다린다.

[빨간 머리 해적단 선장]

와노쿠니 (코즈키 가문)

아카자야 아홉 남자

코즈키 모모노스케
[와노쿠니 쿠리 다이묘 (후계자)]

여우불 킨에몬
[와노쿠니의 사무라이]

덴지로
[전(前) 환전상 쿄시로]

안개의 라이조
[와노쿠니의 닌자]

키쿠노죠
[와노쿠니의 사무라이]

아슈라 동자 (슈텐마루)
[아타마야마 도적떼 두령]

카와마츠
[와노쿠니의 사무라이]

이누아라시 공작
[모코모 공국 낮의 왕]

네코마무시 나리
[모코모 공국 밤의 왕]

소낙비 칸주로
[와노쿠니의 사무라이]

코즈키 히요리 (코무라사키)
[모모노스케의 여동생]

트라팔가 로
[하트 해적단 선장]

불사조 마르코
[전(前) 흰 수염 해적단 1번대 대장]

이조
[전(前) 흰 수염 해적단 16번대 대장]

오타마

시노부

꽃의 효고로

캐럿

완다

키드 해적단

유스타스 키드
[하트 해적단 선장]

킬러 [살인귀 카마조]
[키드 해적단 전투원]

백수 해적단

'대간판'

화재(火災)의 킹

역재(疫災)의 퀸

가뭄해의 잭

백수의 카이도

【 사황 】

수차례 고문과 사형을 당하고도 아무도 그를 죽일 수 없어, '최강의 생물'로 불리는 해적.

[백수 해적단 총독]

'토비롯포'

페이지원

울티

사사키

블랙마리아

후즈 후

'신우치'

바질 호킨스

홀뎀

바바누키

바오황

솔리티아

도봉

햄릿

포트릭스

브리스콜라

미제르카

포커

스피드

다이후고

오타마의 능력으로 백수 해적단을 배신하다!

한다!! 섬 내부 각지에서 싸움이 시작된 와중, 카이도의 딸 야마토는 루피와 만나, 함께 싸우기로 맹세한다. 옥상으로 먼저 가 도와 대치하고 있던 아카자야 사무라이들은 압도적인 파워 앞에 힘이 다하는데…. 그 후, 빅 맘이 카이도와 합류, 그리고 루피 도 옥상에 도착해 배우들은 모였다. 루피는 아카자야 사무라이들을 도주시키고, 카이도 & 빅 맘 동맹에게 덤빈다!! 루피 일행이 공격을 펼쳐 통하는 듯했지만, 두 사황은 싸움을 즐기는 여유를 보인다…. 과연, 이 최강 동맹을 이길 수 있을 것인가?!

빅 맘 해적단

빅 맘
샬롯 링링
【 사황 】

'사황' 중 한 사람. 통칭 빅 맘.
수명을 뽑아내는 '소울소울 열매' 능력자.

[빅 맘 해적단 선장]

C·페로스페로

[샬롯 가 장남]

스크래치멘 아푸

[온에어 해적단 선장]

와노쿠니 (쿠로즈미 가문)

쿠로즈미 오로치

카이도와 손을 잡고 와노쿠니를 지배. 코즈키
가문에 원한이 있으며 교활하게 군다.

[와노쿠니 쇼군]

쿠로즈미 칸주로

[오로치 측 스파이]

백수 해적단을 이탈하고 루피와 공투(共闘)로!

X 드레이크

[전(前) 토비롯포]

야마토[자칭: 코즈키 오뎅]

[카이도의 딸]

후쿠로쿠쥬

[전(前) '오니와반슈' 대장]

호테이

[전(前) '순찰조' 총장]

오로치 오니와반슈

[전(前) 와노쿠니 쇼군 직속 닌자 부대]

NUMBERS

쟈키

고키

난기

핫챠

쥬키

Story · 줄거리 ·

2년의 수행을 거치고, 샤본디 제도에서 재집결에 성공한 밀짚모자 일당. 그들은 어인섬을 거쳐 마침내 최후의 바다,
'신세계'에 이른다!!

루피 일행은 모모노스케 측과 동맹을 맺고, '사황 카이도 격파'를 위해 와노쿠니에 상륙. 동지를 모아 오니가시마로

ONE PIECE
vol. 100
'패왕색'

CONTENTS

제 1005 화
'악마의 아이'

표지 리퀘스트 '배고픈 아기 고양이와 강아지에게 우유와 도넛을 주는 카타쿠리'
P.N 고무이글 열매

구해줘~
~~~!!!

나는 죽어~
~~~!!!

로빈 양이
와 주지
않으면,

역시
그 지식을
노리려
드는가………!!

니코
로빈은
세계적으로
중요한
존재.

어이 어이,
온 섬에
울려
퍼지는군!!

사내가 돼서
꼴사나운
소리나 내다니!!
카하하하!!

완전히
로빈의 신병을
손에 넣으려는
함정이잖아!!

화르륵…!!
하핫….
유쾌한
녀석들이군!!
적은
십중팔구
'여자'야.
──내가
못 살아.
두두두
야, 나미.
상디의 목소리
저쪽에서
들렸어!
두두두
아까도
봤는데?!
뭐야,
저 '눈'은!!
쿠구…

와아아
뽀각!!
우후후.
어이가
없어……!
하아…
하아….
자, 이 실을
풀어줘.
로빈 양을
불렀잖아!!
!!
으와아아아아!!
꽈악

그래,
루피의 동료
목소리구나.

이 생쥐한테서
상고로의
목소리가……!!

돔 안
'열리지 않는
창고'

인간
'메어리즈'와
시야를
공유하고
있지…!!

목적도 없이
섬 여기저기
어슬렁대지만
……

?!

'사이보그'야
……!!

이 녀석은
아버지 군의
정찰부대
'메어리즈'.

엑!!

——요컨대
여기도………

20

도망쳐야 해,
야마토!!
모모노스케 님이
남들 눈에 띄지 않을
길을 알려줘!!

역시 봤나 봐!!
여기는 이제
안전하지
않아!!

지금은 아무도
들어가지 않는
저주받은
장소라구….

야, 진짜
이 창고
맞아?

으앗!!
목소리가
여럿이서!!

하지만
....

마침
잘 됐어
....

그렇게
해주면
고맙겠어.

판락

융!!

당신은
카이도 님
것이…

있잖아,
니코
로빈.

빠

밤!!

될 거야♡

죽는 편이
나아!!

실어

투

융!!

삐삐‥!!

있다!!!

와노쿠니 사무라이군
대장
모모노스케

빠밤!!

끄윽!

모모노스케는
야마토 도련님과
여닌자와 함께

와!

하아…
하아.

눈에
안 띄는 길로
가줄래——?!!

끄윽! 와!

시노부
씨!!
이쪽!!

………

……!!

둘

둘…

모모와
시노부가
표적이군!!

야마토
도련님?!

또
통신——.

와!
펑!

있다!!!

여닌자와
함께

성안
3층——

퍼벙어‥엉!!

!!!

30

아까웠다…!!

보름달의
전사들……!!

너희의
승리에는
날씨의 '운'이
필요해!!

크ㅋ

크오

오

하아‥
하아‥.

크ㅋㅋ.
할짜락♪

으……
…….

두

웅!!

와아아아아아아아!!

조금만 더 버텨!! 그러다 또 '빙귀'로 돌아가!!

이제 한계에……!!

끌어내는 '체력' 그 자체가………

이… 푸른 불꽃이……

으윽…….

틀렸어……….

너구리 씨도 그걸 견디면서 약을 만들고 있다고!!

정신 바짝 차려!!!

이번에는 반드시 죽게 돼!!

그럼 기력의 한계까지 날뛰고

이봐!!

32

카이도가 줄곧 집요하게 권유하던 시절의 강함이 되돌아왔어!!!

대체 뭐지, 저 모습!!

방금 전까지 작달막한 영감이었는데!!

그래… 꽤 춥지만 정신력에는 자신이 있다…!!

…… …… 두목!! 괜찮습니까?!!

으윽…!!

고양감인가 ……?!

대략 수명과 맞바꾼 이 마지막 힘으로

주력(主力)을 모조리 베어 쓰러트려 주마!!!

──……무심코 바이러스에 닿은 탓에!!

'목숨의 한계'까지 힘이 끌려 나오는 것 같다!!!

하아… 하아….

네!!
대두목!!!

하아…
하아….

여봐라,
두목들!!!

아무래도 난
오래 가지 못할
듯하다…….

만약
너구리 씨의
약이 때를
놓치고

나는 너희마저!!
광장에 있는 모두를
무차별적으로
참살하게 된다!!

그렇지
않으면!!

그 전에
망설이지 말고
내 숨통을
끊어라!!

내가
'빙귀'가
되려거든

!!!

부탁한다
…….

──하지만 대두목이
만약 빙귀가 되면…
아무도 막지 못할 것은
확실해.

………
그럴
수가.

시건방 떨기는.

(오키나와현 · 사사키 씨)

D(독자) : 오다 선생님! 저쪽에 거유 미인이 탄 UFO가 있어요!
그럼 이제, 기념비적인 100권째
SBS를 시작합니다!!   P.N. 원 헌드레드

O(오다) : 아————앗!! ⚡ 시작됐잖아———!!!
잠깐—! 이건 아니잖냐? 그런 건 내가 말해야 하지...... 않겠냐?!
100권이잖냐?! 헉... 헉... 그리고...! 없잖아, 거유 미녀!!

D : 99권 SBS에서 PTA에게도 이쁨받고 싶다고 하셨는데요,
어떻게 발버둥 쳐도 무리니까 포기하고 로빈 양의 $\pi\pi$를
의인화해서 그려주세요.   P.N. 닥터〜하〜트스테에라라〜.

O : 그리겠냐!! ⚡ 파이파이 소리 하지 마, 100권에서!! 뭐—
이번에는 SBS란 거 처음 읽어나 볼까— 생각하는 여러분.
평소에는 이렇지 않답니다—. 자, 다음은 진지한 엽서!

D : 1000화는 (타이틀이) 어떻게 될지 너무 궁금해서, 밤에만 잠들었답니다.
100화를 오마주 하시려는 줄 알았는데,
2화였네요. '밀짚모자 루피' 지렸습니다. 제가 궁리한
'야마토의 옆 가슴'보다 좋다고 생각했어요.   P.N. 우엣티

O : 할 리가 없잖아!! ⚡ 아아!! 죄송합니다.
혼이 나갔었네요!! ⚡ 어이쿠〜 말이 헛나왔나?
어라?! 다음 사람은 이 코너를 올바르게 해주시려나 봅니다!

D : 최근 이 코너의 방향성이 무척 걱정됩니다.
제가 올바른 방향으로 이끌도록 하죠!
오나미와 찐하게 만지작 하고 싶어요!
        P.N. 사나닷치

O : 사나다〜〜〜!!! ୬⚡
돌아가, 변태 놈들!!! 뭐야, 이 첫 페이지!!

44

제 1007 화
'너구리 씨'

표지 리퀘스트 '시저가 꼬마 펭귄들에게 가스 풍선을 선물해주는 모습' P.N TKE☆AC

와아아아아아아아아야!!

대장들이 거의 다 당하고 말았어!!!

세상에나!! '오니와반슈'와 '순찰조'의

찌 링!!

호테이 총장!!

카제카게 니임!!

다이코쿠 씨!!

찌라앙!!

'와노쿠니'가 두려움을 산 이유를 조금은 알겠군….

이용했어!!

'빙귀'를 견디고… 그 '힘'만

저게 전설의 협객의 힘인가…!!

46

……….
……!!

효고로
두목!!

머리를
텅 비워!!!

꾸물대지
마라,
야탓페!!

으어~
~~형!!

──이제
하겠습니다!!
지금
합니다
………!!!

알고
있습니다!!
잠깐
기다려주쇼!!

내가
오니가
돼버리면

목숨은
이제
건질 길이
없어!!
…너희를

이쪽도
한계야!!

어서 해라,
츠나고로!!

해하지
않게
해다오!!

오오마사
두목~~~~!!!

흐윽…!!!

야탓페
두목!!!

당연해…!!
우리에게는…!!
부모나 다름없는
분인걸…!!!

나도 '바이러스'를 만들었지!!!

그래서 그 '항체'를 바탕으로

?!!

'나쁜 바이러스'는 '좋은 바이러스'로 쓰러트릴 수 있어!!!

모두에게 약을 투여하고 다니는 건 불가능해!!

!

몇천몇만의 병사가 있는 이 플로어에서

이런 기술을 어디서 익힌 거지?!!

네놈들 같은 촌뜨기 해적단 선의가

……

이 방법이면 '안개'를 흡입해서 모두가 약을 먹을 수 있어!!

언젠가 반드시 감당 못 하게 될 거야!!

바이러스 같은 걸 전투에 사용하면 안 돼!!!

이쪽 부하들까지 '빙귀'가 풀리는 쓸데없는 짓거릴!!

우리는 세계 곳곳에 흩어져 수행했어!!!

54

……… 힘들다마다…

모모노스케 군! 힘들지 않아?

따따따!!

성의 각 층에 넓은 '사이 공간'이 있어.

돔 내부 '우뇌탑'

스스로가 미워지오…

?!

어?

모모노스케 님은 훌륭하십니다!!

약하고… 또 어리석어 ……… 미워지오.

이 몸은 불성실하고, 멍청이고…

다들 이 몸을 과대평가해……!!

?

어~~~??!

모와아아!!

장어?!

모모노스케 님!!

으얏!!

훌륭하긴 무어가——!!

옛날에 녀석을 '해군'이 붙잡았을 때………!!

카이도라고 하니 말인데… ………

성안 '내빈실'—

도무지 납득이 안 되던 '실패작'인 모양이라

정부는 그걸 넘기라고 요청했지만

베가펑크가 카이도의 '혈통 인자'를 추출해서 만든 '인공 악마의 열매'가 있었다…….

그것은 쭉 '펑크 하자드'에 보관되어 있었지.

천만다행이라 생각했을 뿐이다.

'실패작'이라서 새삼

'펑크 하자드'는 폭발했다.

—왜 갑자기 그런 이야기를?

해군 'G-5'의 보고에 따르면 연구소 중 하나가 가동되고 있었지.

그때 싹 날아갔다면 좋겠는데—

언뜻 본 것 같기도…………. 아니…… 꿈이겠지.

그럴 리가 없으니………!!

………. 모르겠군.

와아아아아아

하아… 하아….

——누가 치료를?

너희들—!! 호된 꼴을 당했구나야!!

루피 공 쪽에서 떠맡아 상대하고 있다………!!

섬의 싸움은 계속되고 있어!! 가자!! 우리는 아직 '목숨'을 다 쓰지 못했다!!

쿠쿠우…웅!!

카이도는……!!

비틀..

?!

빠 밤!!

D : 우솝이 코까지 가리게 마스크를 쓰면 어떻게 되나요.

P.N. 헤라클레슨

O : 네ー, 엽서 고마워요ー.
이렇게 됩니다ー.

D : 오오다 쌤, 안녕쓰~. 징베 두목의 가입 멋있어요.
제976화 '인사드리오!!!'에 대한 질문입니다. 시대극의
슈퍼 베스트 CD를 들었는데 '테나몬야 산도가사(てなもんや三度笠)'의
가사에서 이 말을 발견했어요.
여기서 따온 건가요~?!

P.N. 페찡이

O : 음 ~~~~ 나이가 적혀있지 않지만 구수하군요, 당신~.
젊을 때의 저 같네요 (웃음). '인사드리오'로 시작하는 대사는 시대극이나
협객 영화 같은 데서 들을 수 있습니다. 까놓고 말하자면, 옛날 야쿠자의
인사말입니다. '잠깐 들어주십시오! 나 ○○이 태어난 곳은 ○○라는
이름이고~' 같은 자기소개라죠. 이런 걸 '인의를 다진다(仁義を切る)'라고 합니다.

D : 오다 쌤, 안녕하세요! 95권 173P에서 산 씨라고 불리는 건
산신으로 일컬어졌던 거대 멧돼지죠?
오뎅이 두 동강을 냈던 것 같은데 팔팔해 보이네요.
살아있어서 기뻤습니다. 와노쿠니에는 굉장한 의료 기술이
있는 걸까요?   P.N. 상디를 좋아하는 지그재그 점주

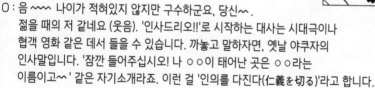

거기서 기다려,
'산 씨'!!

후고

'작은 산'!
가마 실을게!!

후고
후고

O : 그렇슴다. 건강하죠. 들어본 적 없나요?
싹둑 하고 너무 깔끔하게 팔이 잘리거나 했을 때,
그대로 잘린 단면끼리 붙여놓으면 다시 연결된다고!
네, 그런 것처럼 산신은 오뎅이 너무 깔끔한 칼솜씨로
벤 나머지 감쪽같이 연결되었습니다!! 훌륭해!!
'작은 산'은 저 때의 산신의 아이입니다.

제 1008 화
'야타마야마 도적단 두령 아슈라 동자'

표지 리퀘스트 '하늘을 날아보고 싶은 말이 로빈에게 협력을 구해 페가수스가 된 모습'
P.N 마이쵸 캐러멜

와하하.
놀라는 것도
무리는 아니지!!

천수각
뒤편
'보물전'

와아아아아아아...
꼬꼬꽝...웅!

띠 러 잉!!

설명은
길어지니
나중에
하자!!

......
......!!!

토키의
능력으로
미래에
날아왔다.

오뎅 님!!

오뎅
님...!!

그랬던
것이옵니까...!!

64

지금 가자. 그날 놓친 카이도를 마저 해치우러!!

늦어서 미안하다!!

재회를 기뻐할 시간도 없군!!

……!!!

오뎅 님….

함께 하겠습니다.

물론 입니다.

무슨 소린가, 아슈라………!!

실제로 눈앞에!!

킨에몬, 토키 님은 말했다…!!

!!

가짜일 게 뻔하잖아!!!

기다려, 너희들!!!

카카카…. '원격'은 체력 소모가 심하지.

'본체'는 어디지?!

이게 '그림'인가?!

……

힘든 싸움이 되었군………!!

원격?!

소생도 상처가 깊다!! 이 싸움으로 죽겠지.

카카카카…!!

'쿠로즈미 칸주로'로서 말이야!!

——하지만 그 전에 '코즈키 가문'의 '심장'은 찌르고 죽겠다!!!

모모노스케 님과 '여닌자'가 함께 있다고….

……

그러고 보니 아까… 어디서 목소리가….

모모노스케 님이 위험해!!!

되기는
했는데
……

꽤
제어할 수
있게

!

미안하오.

모모노스케
군!!

좀 얌전히
있어
줄래?!

모모노스케
사이드—

그런
괴물이
될 수
있다면

놀랐어.
아버지와
비슷한
힘이려나?

놀라거나
슬플 때마다
'용'이 돼버렸지…!!

루피 일행과
만났을
무렵에는

다소
모두의 도움이
됐을 텐데…!!

끄아아앗

끄뿌왁왕!

어? 어떻게
아시는 거죠?!
모모노스케 님……!!

…하지만
어째서인지
기운차군.

루피는
상당히
약해져 있긴
하오…!!

루피는 괜찮을까?
나도 카이도
쓰러트리고 싶어!!
오뎅으로서!!

응?

다행이다.

76

빠가각!!

아아아아아~.

오니가시마 옥상——

아아아아

공격이 통하는 느낌이 안 들어!!

두쾅아!! 꽝!

아아아아

끄악—!!

어떻게 해야 이길 수 있는 거야.

하아, 하아.

같은 인간이잖아!!

피슈웅!!

'고무고무'

이만큼 퍼부었는데 안 통할 리 있나!!

통하고 있어!!!

………
………
푸하!!

일짚모자 일당 지장보살 님에게 삿갓을 씌워주는 모습' P.N 벌꿀 핥는 아이'

참고한 표지 리퀘스트 '비 내리는 날에 오타마가 코마치요와 흰

구구..

상처 입은
네놈들 따위
무섭지
아니하다!!

떠이 떠리딩♪

이런 얼간아!!
성안으로 돌아가면
사방이 적이다!!
──그리고 놈들은
카이도에게 당해 중상…

도망치십시오.
여기는
제가…!!

와

꽝

이봐,
'코즈키 가문'의
반송장 놈들!!

필시
놀랐겠지?!
칸주로 일
말이다!!

끄후하
하하하!!

!!

84

…끄후후.
피차 속인 일은
없던 셈 치자고!!

나도
놀랐다!!
쿄시로!!!

마~~~ 마마마마 하하하!!

다섯 중 몇이나 살아남으려나?

한 방 날리자, 카이도.

'해골 돔' 옥상—

그렇다면…

패기가 너무 강해서 저놈들은 못 움직여.

가능했으면 진작 했다!!

트라팔가!! 네 능력으로 아래 어딘가로 날려버릴 순 없나?!

분해다!!

누구더러 지껄이는 거냐, 애송이!!

다릿심이 쇠하진 않았겠지, 할망구!!

야!!

!!

?!

큰 거 온다!!

（카나가와현·모리못치 씨）

D : 울티와 페이지원은 친남매입니까?
　단순히 울티가 연상이라 '누나'라고 부르는 것인지,
　둘이 닮지 않아서 궁금합니다! 울페 남매 싸랑해요♡♡
　　　　　　　　　　　　　　　P.N. 돈 (20대)

O : 네. 진짜 남매입니다. 두 사람의 아버지가 해적이었으나
　죽어버렸고, 아버지와 인연이 있었던 카이도가 거둬들인
　것이라 들었습니다. 울티는 영리한 아이라서
　카이도가 갖고 있던 '악마의 열매' 2개를 훔쳤고,
　페이지원과 함께 능력자가 되어, 이 약육강식의 해적단에서
　살아남아 '토비롯포'에 등극했습니다.

D : 오다 쌤, 질문입니다!! 바질 호킨스는 어쩌다 그런 눈썹이 되었는지 알려줘요!!
　1. 타고난 것　　　　　　　　2. 눈썹을 그려서
　3. 매우 두꺼운 눈썹을 면도해서　4. 벌칙
　호킨스의 눈썹 정말 좋아해요!!　　　P.N. 야시라이

O : 네. 음— 그러니까. 그 눈썹은 삼각형 1개가
　하나의 눈썹입니다.
　요컨대 호킨스의 눈 위에 있는 것은
　6개의 눈썹입니다.

D : 오다 씨!!

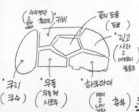

← 모델을 이런 식으로 해서 와노쿠니를 만드신 걸까요?
　　　　　　　　　　P.N. 캡틴 슌야

O : 네. 맞습니다! 일본 열도가 모델입니다.

최초의 설정입니다.
여기에 오니가시마,
즉 홋카이도가 있었으나
스토리 사정상, 지금의
장소가 되었습니다.

*키비 : 츄고쿠 지방 오카야마 현 명물 수수경단(키비당고)
*링고 : 토호쿠 지방 아오모리 현 명물 사과(링고)
*하쿠마이 : 츄부 지방 니이가타 현 명물 코시히카리 백미(하쿠마이)
*우동 : 시코쿠 지방 카가와 현의 우동으로 유명해 우동 현이라는 별명이 있다.
*쿠리 : 큐슈 지방 지역 명물 밤과자(쿠쥬쿠리)

제 1010 화
'패왕색'

표지 리퀘스트 '푸딩이 안약을 넣고 있는 모습' P.N 맛츠우

제우스~
~~~!!!

아아아아아

구해라
——!!

아아아
두

웅!!

헉, 헉….
쿨럭.

지금……
끄아……!!

마마~~,
지금 구하러
갈궤에!!

마마~~~,
왜 그래,
마마?!!

저 녀석,
아까 천 공격으로
온몸의 뼈가 박살 났어도
이상할 게 없는데……!!

젠자양!!

슈파파빠!!!

파직

수고를
끼치는군……!!

한심하기는
링링.

이봐,
'해적
사냥꾼'!!

쿠오!!

프로메테우스를
해방시켜 줘라!!

!!

끄으아아

'인젝션'.

파앗!!

저 '불꽃'이 빅 맘을 구하겠는데?!!

——어이!! 트랑이!! 하아, 하아….

마마~~~~~!!!

삐웅!!

하아… 하아….

그렇게 할 필요까진 없어!! 핫핫핫!!

목적은 둘을 떼어놓는 거다!!

누가 죽을 바에야 작전 실패가 나아…!!

가게 냅둬….

타닷!!

!!

파밧!!

빅 맘은 맡겨라!!!

철컥 철컥철컥!

철그럭!!

키드, 킬러……!!

마～～
마마마…하하하.
이쁘기도 하지.

프로메테우스
～～～♡

학!
학!

하아…
하아…

다행이야,
마마～～!!

살았다
～～!!

쳐써───억!!

응?
뭐니.

부탁이
있어,
마마～～～.

그 녀석 항상
얼빵하고 굼떠서
걸림돌이니
말이야!!

나도
그렇게
생각해,
마마!!

제우스 녀석,
뭣하고 자빠졌어.
쓸모없는 놈!!

106

뭐지?
………구름이….

쿠릉쿠릉…!!

쿠쿠쿠…

하아….

하아….

………
……?!

'망자의
장난'!!!

오오......

먼저
짓뭉개
보시지!!

우선 이쪽
머리부터

'귀기
(鬼気)'.

'구검류'.

'발검
(抜劍)'

윽!!

'아수라'

두

우웅

키킹!!

채엥!!

109

저 애송이···.

제길···
······!!

하아.

하아.

'패왕색'을
······?!!

···설마
너도···

?!

충분하겠지.

하아··· 하아.
하다못해···
쓰러져주길
바랐다···!!

혼신의
일격이란
말이다···
······!!

엉···? 무슨
헛소리야········!!
하아··· 하아.

이 상처는
남을 거다···!!

짚이는 데가
없는걸···!!

나와 함께 하면 세계를 얻을 수 있을 텐데….

하아.

하아.

야깝군…….

함께 같은 소리 하네, 바보….

너하고?

우리는 '사무라이'를 무척 좋아해….

힘을 주는 게 아니라 '패기'를 주먹에 흘려보내는 거다…!!

적을 내부부터 파괴한다.

휘감은 패기는

넌 반드시… 날려버리겠어……!!

하아, 하아.

It's difficult to think anything but pleasant thoughts while eating a SOFT SERVE vol. **100**

ONE PIECE

!!!

'짚꾸러미 칼'!!!

비켜라.

?

히잉!!!

호킨스!!

?!!

질 것을 빤히 아는 싸움을 회피했을 뿐!!

너희들 용케 목숨이 붙어있군.

아푸에게 배신당한 건 나도 마찬가지……!!

너 뻔뻔하게 우리를 찌르러 온 거냐, 배신자 자식!!!

키드가
도망친다——!!

부탁
한다!!

빅 맘을
내버려
두지 마!!

!

키드,
먼저 가라!!

……
큭….

맡은 역할에
충실하군.

와아아아 ! 아아아아

기르는 개가
다 됐어…!!

고맙군……….

둘을
상대로는
승산이 없었다.

또 점술이냐.
우리는
실력주의다!!

멋대로
떠들어라.
——네가 여기서
죽을 확률은…

92%!!

홧홧홧!!

가엾은
'살인귀
카마조'.

할 거 같냐? 우리는 안 죽어!!!

떨어져. 도마뱀 자식!!

저리 가ㅡ!!!

'명치'!!

'목젖'!!

'관자놀이', '턱'!!

우숩, 급소를 노려!!

'안구', '콧구멍'!!

윽......!!

말순이네가 수수경단을 먹인 적들에게

라이브 플로어의 스테이지에 도착하면!!

단번에 '호령'을 내릴 수 있시야요!!

이제 조금 남았시야요!!

힘내야 해. 코마치요!!

모두에게 도움이 되고 나면 더는 어떻게 되든 괜찮아요!!… 그러니까

스테이지까지….

——그걸로 모두 아군이 되어주면… 저는 제 역할 다한 거예요.

깍! 왁

왕왕!! 왕!!

!

그치만나…

부들… 정말 무서워서 한계야요……!!

언니랑 아저씨가 꼭 지켜줄 테니까!!

누가 아저씨야, 아직 19살이라고!!

바보 같은 소리 마, 타마!!

으억!!

'꽃불꽃'!!!

GET

미안, 타마……!! 이제 불안하게 만들지 않을게!!

퍼엉!!

퍼엉

엎드려!! '필살 초록성'!!

두퍼어엉!!!

!!

오링!!

'도둑고양이'랑…
코가 긴 녀석도
밀짚모자의
동료군!!

으응?!!
너희,

끄아악~~
~~~
~~~!!!

엑~~~~?!
자, 자, 자 잠깐,
오타마……?!

'우동'에서
갑자기
사라지는
바람에!!

걱정했시야요!
오링.

어쩐 일이니.
너 이렇게
위험한 곳에
오고!!

어머…!!
오타마구나!!

치……
친구?!

큰일이군.
10살 이하에게
가끔 보여주는
마마의 '마더 모드'다.

소량의
팥죽 맛은
잊지 못해!
맛있었어.

그래,
그 오지랖에
지저분한
'떡고물 마을'의
궁상맞은
'오츠루'가 준

와──.
다행이다.
기억이
돌아왔네요!

그때는
고마웠지 뭐니.
기억이 없는 날
보살펴줘서!!

아….

응?

카이도의 부하가 마을을 불태워버렸시야요!!

습격 전의 사무라이들이 먹은 밥을 자기들이 먹었다고 거짓말해서

없다고?

……저기, '떡고물 마을'은… 이제 없시야요.

놓치지 마. 집과 같이 태워버려!!!

반역자들 이다!!

마을 통째로 처형이다!! 불살라라~~~!!

맛있어~~♡

미안해, 오링 씨. 그것밖에 없어서….

뭣….

멋져, 오링 씨!

어머나, 잘 어울려라.

……
…!!

그래?

으왓―. 공룡남이 왔다!!

카이도의 부하가…!!! 이 몸에게 친절히 대해 준 그 '떡고물 마을'을?!

오지 마, 지금 바쁜 와중인데!!!

니네들…….

비정한 해적의
세계에도

페이지원
니임~~
~~~?!!

페,
페,
페페

애!! 마마다!!
다행이다,
살아있었어——!!

저쪽인가……!!
빅 맘!!

!!!

위험해~~.
울티 님이다
아~~~~~!!!

페찡아….

질문코너

에스 비 에스

D : 오다 선생님에게 질문이에요! ONE PIECE 95권 33페이지의
꽃의 도읍·라세츠 마을에 있던 이 사람은 쌩얼의 시노부인가요?
가르쳐주세요.　　　　　　　　　　　　　　　　P.N. YAMATORO

O : 오ㅡ. 용케 찾았군요! 쌩얼의 시노부라니 실례되는 소릴!
그는 사실 시노부의 오빠입니다. 이름은 '시노스케'.
여동생을 소중히 아끼며, 시노부가 오니와반슈를 관둔 뒤
'탈주 닌자'는 목숨이 노려지기 때문에, 자신도 마찬가지로
탈주 닌자가 되어 시노부를 지키면서
코즈키 사무라이 중 하나로서 움직여왔습니다.

D : 프랑키는 '나는 로봇이 아닙니다'를 체크합니까?
　　　　　　　　　　　　　　　　P.N. 타카타카

O : 아뇨, 그는 사이보그지 로봇은…… 응? ➡

D : 오다 선생님! CP (사이퍼 폴)의 강함이나 지위를
가르쳐주세요! 제가 생각해보건대
[강함] CP0·CP9·CP8·CP7… [약함] 같은?
가르쳐주세요! 이 녀석은 구제불능인 녀석이지만 ➡
CP0에 넣어주세요!

　　　　　　　　　　　　P.N. 와포루에 꽂힌 소년

O : 육왕건 군은 일단 무시할게요.
사이퍼 폴이라는 기관은 요컨대, 스파이 집단입니다.
정부의 이면의 일을 하는 사람들이죠.
일반적으로는 'CP1' ~ 'CP8'까지만 알려져 있습니다.
숫자가 커질수록 중요한 임무를 맡게 됩니다만,
환상 속의 'CP9'에 이르러서는 정부에 있어
방해되는 자를 없앤다는 특권을 가지므로, 본래 있어서는 안 될 킬러 집단입니다.
또한 CP0 (사이퍼 폴 '이지스' 제로)는 격이 다르며, 천룡인의 직속 호위
혹은, 그 명령으로 움직이는 사람들이므로 가장 강합니다. 육왕건 군은
넣을 수 없습니다. 돌아가 주세요.

제 1012 화
'근질거림'

표지 리퀘스트 '철조각으로 새 오브제를 만드는 데 푹 빠져
머리 위에 새 둥지가 만들어진 걸 눈치 못 챈 키드' P.N 아츠키

팔은 아프지 않고?

하아… 하아.

키쿠…….

성안 3층으로 가는 연락 통로

보물전 2층에서

마음에 가려움이 있었더라죠……!!

──형님이 사라진 날도…

형니이임~ ~~~~~~ 으엥~ ~~~~!!

으와 이아아앙 와이!!

──후후후. '사무라이'에게 무슨 물음이십니까……!!

목숨이 불타 사라질 때까지의 가려움입니다.

하아… 하아.

이조… 만약 '개국'을 이뤄내면 '와노쿠니'는 어떻게 될 것 같아?

그건…… 내일 아침에 만약 살아있다면 이야기할까.

캇파파. 나제로군.

말없이 사라진 건 정말 미안했다……!!

내게 농담할 여유가 있다면 됐다…!!

녀석.

와하아아아아아아 와

으악!! 펴버엉…엉

이곳저곳이 전력 부족일 터. 모모노스케 님을 지키는 건 소인 하나면 충분!!

너희는 곳곳에 흩어져 거들도록!!

와아아아아

——어느덧 전면전쟁………!!

이기건 죽건……!!

다음에는 기필코……!!!

칸주로는 제가 해치우게 해주세요!!

하아… 하아.

!

킨 님!!

그래…!!

어디를 서둘러 가나?!

시실리안!! 바리에테.

!!

네코마무시 나리!!

…….

와!

나리 숭이오!!

따라오라!!

음!! 무운을 빈다!! 키쿠!!

그래, 나도 그래야겠다니!!

—그럼 킨에몬, 네코!! 우리는 다른 곳에 가보겠다.

!

루피 군 일행이 지금 이곳까지 다다른 건 녀석의 희생 덕분이라고…

예에…… 빅 맘의 영역에서……!!

페드로가?! 죽었단 말이냐?!

네!!

그렇군……!!

142

'원수'가 이 섬에 있다는 말이니!!!

페드로…. 수고 많았구나아!!

캐럿과 완다가 분노를 주체 못 하고 대치하는 바람에

—그런데 그때의 페드로의 '원수'가 이 섬에 와있어서!!

서둘러 시실리안 대장에게 알리러 왔숭이오!!

으와악. 고양이가 날았다!!

이냥시~~ ~~끼!!!

꽈악!!

나리~~!!

모모노스케 군, 너와 나는 세트로 표적이야.

'메어리즈'를 조심해!

성안 1층 '천장 밑'

괜찮아, 야마토. 우리는 킨 님과 연락이 됐어.

이게 너야.

미끼가 될게!!!

그러니까 내가

싸우고 싶은 근질거림을 전혀 숨기지 못하고 있소.

왔다!!

빅 맘~~~~~~~~~!!!

잘도 페찡이를!!!

당신을 슬프게 만든 장본인이야!!

오링 씨!! 저 여자가 바로!

'여신'으로 보이기 시작했어!!

좋아……. 빅 맘이 저 여자도 해치우게 하자.

무슨 일인지는 모르지만 ……

시끄러워, 거기 있기나 해. 할망구 다음은 너희 차례이와요!!!

까아악~~~~!!!

우… 울티!! 해치워버려!!

삥뿅♡

같이 빅 맘을 쓰러트리자!!

시끄럽다. 입 다물고 있어, '밀짚모자 일당'. 저 녀석 다음은 너희다!!!

까아악~~~~!!!

（카고시마 현 · 오오쿠보 노부히코 씨）

질문코너

D : 오다 선생님! 카타쿠리 오라버니와 결혼하고 싶어요!
P.N. 유산균 유산균 장내 환경 초 정상

O : 펜네임 겁나 길어!! 네.... 과연.
카타쿠리는 키가 509cm나 되는데 괜찮아?

D : 항상 유치원에서

도원 백룡과

카푸사리요 놀이를 합니다

강해질수 있을까요

항상 유치원에서
도원 백룡과
카무사리로 놀이를 합니다.
강해질 수 있을까요?

P.N. 타이세

O : 우와──악!! 털썩.......
.................................헉!!! ♪
잠깐! 패왕색은 적당히!♪

D : 오다 쌤 배꼽! 질문입니다! 카이도가 쓰는 쇠방망이에 이름이 있을까요?!
그리고 저 쇠방망이는 의인화시키면
얼마나 멋있을까요?! P.N. 타카세

O : 왔구나. 내가 잘하는 거! 옳거니 ^^.
보고 싶어? 아, 쇠방망이의 이름은
'핫사이카이(八斎戒)'입니다.
등급 같은 건 딱히 없지만, 카이도가 손에서
놓는다면 전설로 불리겠죠.
자, 의인화다!!
카이도가
더욱 무섭게
느껴지네요...!!

죽음은
사람의
완성이다
....!!!

난
눈
안
나
가

인마 너뭐야
밖으로 나와!!
나눈 안나가

제 1013 화
'Anarchy In The BM(빅 맘)'

표지 리퀘스트 '조로와 닮은 상어를 어떻게 요리할지 궁리하는 상디' P.N 에피

뒤에는 빅 맘!! 어디에 승산이 있어?!!

도망쳐야지!! 저 녀석은 다시 일어날 거야!!

야, 나미. 뭐 하고 있어!!

하아… 하아.

오타마!! 살아 있니?!!

……!!

빠 밥!!

하아… 하아. 어차피 끝까지 쫓아올 게 뻔해!!

야, 타마!! 정신 차려!! 심하네……!!

뭣보다 저 여자!! 더는 용서 못 해!!!

프로
스!!

나폴레옹!!

네, 마마!!

악!!

이젠
꼼짝 못 해….
알겠어?

드디어
산산조각이야!!

나미~
~~!!

그 머리!!

나중에 꼭 데리러 오자!!

와 꽈!

아. 미안, 타마! 지금은 무리야.

코마치요 ……….

………!! 무지막지하지만 덕분에 살았어.

으… 응!!

야, 나미 도망치자!

저 번개구름…… 누구지?

어라? 그러고 보니

……

……

오호호호

꾸 와ㅡ

제우스……?!

와 하 하

어?!

……

까불지들 마셔, 바보님들♡ 나는 마마를 따랐을 뿐이야.

이거 제우스 그 바보로는 못 했을 기술이거든!!

우리 마음이 잘 맞아, 그치~~?!!

싫어♡

내가 '여자친구 갖고 싶다'고 마마한테 부탁한 건데?!

엑~ ~~!!

아니, 나랑 호흡이 맞았던 거죠?! 헤라.

163

안 그러면
모두가
네 승리를

쿠구구구

강한 무기를
손에 넣어…
건방을 떨었구나,
애송이…!!

결과는
뻔히
보였다…

하아.

쿠구구

구구

하아.

버리지
못하지….
그게
성가시다.

인간은 희망을
버리지 않아….
아니,

170

네 목을 베어
'승리 선언'을
해야 했건만.

오랜만에
달아올라서…
내가
실수했군….

하아.

하아.

빠앙

（기후현 · 이토 켄타로）

D : 안녕하세요! 저는 역사를 좋아하는데 에도는 물론 최근엔 헤이안 시대나
　　다이쇼 시대 등의 멋진 점을 발견해서요.
　　시간 여행을 하게 된다면 그 시대로
　　가고 싶을 정도입니다만, 선생님은 혹시
　　시간 여행을 할 수 있다면
　　어느 시대로 가고 싶나요?　　　　P.N. 아마기리 모모카

O : 과거도 갈 수 있다는 패턴인가요ㅡ.
　　사무라이 볼 수 있나?! 오이란도?! 시대극 좋아하는데.
　　하지만, 만약 거기서 충치가 생기면 마취가 없지ㅡ.
　　치과의사 치료는 무지막지 아프다구ㅡ. 실제로 가게 된다면 미래가
　　좋습니다! (웃음)

D : 로빈의 40세, 60세를 그려주세요!!　　　P.N. 일생의장(一生衣装)

O : 어, 그려들까?

AGE 40
멋져라 젊어서 ♥

AGE 60
조사에 따라와 줄래?

무슨 일이 생긴 미래

AGE 40
책?
전부 버렸어

AGE 60
얼마에 팔리 겨나?
저 아이

제 1014 화
'인생의 허접 배우'

표지 리퀘스트 '호랑이 병풍 앞에서 궁리를 짜내는 트라팔가 로' P.N 타카시

'패왕색'을
휘감아
보였다….

ㅋㅋㅋ…

그러나
그 조작
솜씨는

엉성하기
짝이
없었지……!!

'고무고무'
………
뭐라고?

워로로
로로…!!!

뭔가
이상해…….

모모노스케를
데리고 있다!!!

야마토
도련님
발견!!

성안
3층──

어라?!
………수갑이
없어!!

1층
천장 밑
──

나는
오뎅이다!!!

두─웅

그래.
이제 붙잡힌
몸이 아냐!!

허어?!!

개굴…

죽어서는
아니 되나
보다…!!

이 몸은…
…………

네.

시노부…
………

띠

링!

콰
콰악…

176

카이도 님은
밑으로 내려가
'청소'를
시작할 거야!!

다음은
누구?!
누가 이길
건데?!

'코즈키의
사무라이'도,
'선장'도~~~
졌다구!!!

요란하게도
부숴놨군,
링링.

킨에몬
네도…?!

카이도 님은
너희들의
'항복'을
허락하신대!!

우~~~엥.
루피 오라비
~~~!!

상관없어
………
그런 멍청이.

마~~
마마마.
들었니?!

양손을 들고
'항복',
'복종'하는 자는!!

까불지 마!!

!!!

목숨을
살려주고
'부하'로오~
~~~~
맞이할게!!!

지는 싸움이야~~~~~!!

......
......

쿠쿠우~...

와...

와...

1층 천장 밑으로 가는 통로

항복해~~~~~ 와노쿠니!!

이거 '메어리즈'지......?!! 여기 있다는 건…

큰일 아냐?! 저기, 킨 님!! 모모노스케 님.

깜짝!!

모모노스케 님!!!

'밀짚모자 루피'는~~~~

승부는~~~~~ 났어!!!

갤

갤

갤

어—이!! 모모노스케에~~~~~!!!

2랜만이구나아!!

저기, 저쪽에 개구리가…

전해야만 해……!!

킨에몬… 모두에게…… 하아… 하아….

모모노스케 님, 대체 어찌 된 것이지…?!

빠 밤!!

?!

D : 1권부터 쭉 읽고 있습니다만, 언제가 되어야
　　오다 쌤의 소중이를 그려줄 건가요?　P.N. 이차원의 삼겹살

O : 그려줄 거 같아?!!

D : 블랙마리아의 능력 말인데, 어쩐지
　　'SMILE' 같지 않나요?　P.N. 에비

O : 이해돼ー! 확실히 지금까지의 동물계 인수형이라면
　　얼굴이 2개가 되는 일은 없고, 손도 거미처럼 되거나
　　할 텐데 말이죠ー. 하지만 사실 완전히 정해진 형태란 건
　　없답니다. 쵸파가 변형을 구사할 수 있듯이, 비교적
　　약간의 조작으로 변형점을 바꿀 수 있는 것이에요.

　　　　　　　블랙마리아 누님도
　　　　　← 이런 거미 여자가 되는 게
　　　　　미적으로 용납이 안 돼서
　　　　　약 같은 걸로 변형점을 바꾼 거라고 생각해요.

D : 저는 징베가 밀짚모자 일당에 들어오는 것을 10년 동안
　　기다렸습니다. 저는 징베의 팬이라서,
　　이 마크를 스스로 만들었어요. 이 마크를
　　징베의 마크로 삼아주세요!!　from Joshua.H

　　　　　　O : 호오ー!! 엄청 멋있네요ー!!
　　　　　　진짜 이대로 사용하고 싶을 정도예요!!
　　　　　　일단 해골의 법칙이 일당에게 있는
　　　터라, 내가 이렇게 어레인지
　　　　　　해도 되려나? ➡
　　　　　　조슈아 군이 구상한 마크,
　　　　　　공식으로 사용하죠!!

자, 그럼! 이걸로 100권 SBS를 마치겠습니다ー! 징베 성우, 호키 카츠히사 씨에게
보내는 질문도 계속해서 모집 중! 남은 페이지도 즐겨주세요ー!!
그럼 다음 권에서 또 봐요〜〜!!

제 1015 화
'사슬(연)'

표지 리퀘스트 '황새가 세뇨르 핑크를 아기로 착각해 물어나르는 모습' P.N 토모키야

'기적'을.

숱하게 봐왔잖아?

울지 마, 바보야.

확

!!

저 공룡은 나한테 맡겨라!!!

2천 명 분이거든…?!!

부활하면 10인분이야.

이놈 좀 부탁하자!!

어……? 뭐야, 이거………

두두웅!!

네놈… 이나~~~!!

저지의 아들내미 ~~~.

캬아!

캬아앙!

조로오?!

그래서 너희가 맘에 든다니까.

콰과앙!!

왜지…?! 저 사람 전혀 싸움을 멈추지 않아….

자기 배의 선장이…… 죽었는데도 …………?!!

성안
1층
'천장 밑'

199

달려라!! 시노부!!

으아앙

모모노스케 님…!!!!

도망치십시오!!

'패배'란 언제나

깨끗이 무사답게 죽어라!!!

갤

믿기 어려운 것이다!!!

반드시
돌아오겠다고
이 몸에게
말을 걸고
있소!!

루피는
살아 있다!!!

하아…
하아….

?!

싸워
주시오!!!

미안하지만
목숨이
있는 한

아파도!!
괴로워도!!

그러니
계속
싸워주시오!!!

!!

뿌굴 굴ㅇ

카이도에게
이긴다!!!

………
……!!

모모…
전해줘!!

나는
반드시

됐으니까 일단 구하고 봐!!

바닷속에서 목소리라니 ………!!

서둘러!! 살아는 있나?!

'밀짚모자' 아냐아?!!

진짜 사람이 있네!!

'크리마 택트'가……!! 말을 했어!!

어?

응!!

이대로 스테이지로 달리자, 나미.

오라비~~~~. 살아있었시야요 ~~~~~.

뺌!

뺌!!

에헤헤♡

다행이다, '밀짚모자'~ ~~~~~

어?

206

──오랫동안 행동을 함께하니…… 신기하게도 그 녀석이라면

어떻게든 될 듯한 기분이 들거든.

마마마마!! 무슨 허세려나 몰라?!

바다에 떨어졌으면 당연히 죽지!!

CHAMP COMICS

원피스 100

2023년 11월 23일 초판 인쇄
2023년 11월 30일 초판 발행

저자 : EIICHIRO ODA
역자 : 길명
발 행 인 : 황민호
콘텐츠1사업본부장 : 이봉석
책임편집 : 조동빈 /정은경
발행처 : 대원씨아이(주)

ISBN 979-11-362-8900-1 07830
ISBN 978-89-8442-320-6 (세트)

서울특별시 용산구 한강대로 15길 9-12
전화 : 2071-2000 FAX : 797-1023
1992년 5월 11일 등록 제1992-000026호

ONE PIECE